獻給摯愛的老闆和北爺

♡ ♥

點點貓大冒險之穿越古文明

和兩隻可愛貓貓一起學習世界歷史文化知識！

點點

由人類收養的白貓，右額上有黑色一
點的胎記，故名為點點。生性善良膽
小，但好學聰明，在北北的鼓勵下一
起踏上尋找黃金罐罐的冒險旅程。

北北

茶色短尾虎紋貓，活潑好動，見多識廣但愛自作聰明，卻為尾巴短小而感到自卑。有穿越時空的神秘力量，為了某個原因而要尋找傳說中的黃金罐罐。

❀ 第一章 ❀

在一個**夜深人靜**的滿月之夜，家中的人類準備去睡覺了。但對愈夜愈活躍的貓咪來說，晚上才是最精神飽滿的時候。

此時，點點聽到陽台有些**動靜**⋯⋯

「沙⋯ 沙⋯」

點點狐疑：「甚麼？！」

好奇是貓貓的天性，點點決定追蹤聲音的來源，躡手躡腳來到陽台。不得了！點點發現，陽台的山茶花下有個平時沒見過的紙箱，旁邊還有一隻茶色的短尾花貓在抓癢！

點點大吃一驚，心想：

「我從來沒注意到附近有這個鄰居，他到底是誰啊？」

茶色短尾花貓此時也發現了點點，但他一點也沒有緊張，本來半合上的眼睛張開了，在月光下露出閃亮的翡翠色，還對點點報以微笑。

點點發覺對方發現了自己，**戰戰兢兢**問：
「你是誰啊？那麼晚還不回家？」

短尾花貓氣定神閒對點點說：「現代人類都叫
我北北，你也叫我北北好了。我是從很**遙遠**
的地方來的，現正在旅行途中，因為我要尋
找傳說中的黃金罐罐！剛才有點累，所以在你
的陽台歇息。天亮前我就會走，打擾你了。」

點點問：「黃金罐罐是甚麼東西？還有，很遙遠的地方是指哪裡？」

這時北北瞪大眼睛，有點難以置信地說：「甚麼？你連黃金罐罐也沒聽過？！」

點點猛力搖頭。

北北沉思了一會，突然心生一念，對點點說：「那你要不要跟我一起去尋找黃金罐罐？團結就是力量，我們二貓一起找說不定更容易找，到時我分一半罐罐給你，如何？」

點點聽到高興不已：「真的嗎？」，雖然他並不知道黃金罐罐是甚麼。

北北：「來，我們現在就出發吧，先去我的故鄉補給一下，我也很久沒回去了。」

點點：「你的**故鄉**在哪？我們要怎樣前去啊？」

此時北北準備跳進紙箱之中，回頭向點點說：
「可是，只有特別的貓才可以進入那個地方，來
吧，快來試一試！別**慢條斯理**的！來來來！」

點點有些**膽顫心驚**，但又非常好奇北北會
帶他去甚麼地方，更想得到傳說中的黃金罐
罐。點點心想：「那一定是世間上最美味的罐
罐！」一想到此，點點二話不說，跟北北一起
跳進紙箱中。

當二貓跳進紙箱後，箱的底部突然打開了一個洞，通向一個滿天星斗的空間。

點點害怕極了，生怕自己會在星際間漂走，邊哭邊喊：「救命啊！！這是哪裡？！」

此時，北北抓住點點的尾巴，說：「別怕，抓住我的肩膀就不會迷路，我們快要降落了，抓緊啊！」

說時遲，那時快，點點和北北往星空之中一個破洞一躍，來到了洞的另一端──一個繪有圖案的古老木箱。

第二章

二貓爬出箱子，點點驚魂未定，還有點頭暈，北北已急不及待領着點點前行，說：「快！別被人發現，否則就麻煩了。我們去拿些魚乾就上路，尼羅河的魚最好吃！」

「尼羅河?!」

點點驚呼：「難道這裡是埃及?!」

尼羅河小知識

尼羅河流經非洲多個國家，全長6,650公里，直至二十世紀仍是世界上最長的河流，至廿一世紀才有科學家指出南美洲的阿瑪遜河可能比尼羅河長一點點。尼羅河是古埃及人的命脈，每年河水會定期氾濫，這對全年幾乎沒有雨水滋潤的埃及來說，農業灌溉就全靠尼羅河每年浸過兩岸的水源，而這些洪水會令河岸上沉積營養豐富的泥土，因此古埃及人能在尼羅河沿岸種植出十分豐富的農作物，有豆類、玉米、棉花、黍、稻米、小麥和甘蔗；他們亦會修築水霸儲存尼羅河的洪水用於灌溉。

北北點頭，並指向點點的後方：「沒錯，你看看那雕像就知道了。」

點點回頭一看，不得了！是一尊非常非常巨大的貓頭人身雕像！點點記得家中的人類有說過，古代埃及人是世上最喜歡貓咪的人類，他們甚至視貓貓為神明，興建廟宇供奉貓貓。

點點問：「請問那位巨大的貓貓是誰？」

「她就是人見人愛的**芭絲蒂女神**，全埃及的人也很敬愛她。這裡就是供奉她的芭絲蒂神殿。」北北得意地說。

「為甚麼這裡的人那麼喜歡她呢？」點點問。

「應該說這裡的人很喜歡我們！因為我們不單會捉老鼠，保護了人類的糧食；而且我們曾打敗過毒蠍子和眼鏡蛇，保護過法老王呢！」北北自豪地說。

「法老王又是誰呢？」點點不明所以。

「他是**埃及的君主**，一般人難以見到他的，但要見到他的陵墓卻較為容易，一會我們也會看到。來，今天剛好是普天同慶的芭絲蒂女神節，可以找到很多魚乾！但要注意，別被人類發現啊！」

點點不明白:「既然埃及人那麼喜歡我們,為甚麼不能被他們發現呢 ?」

「別問那麼多,快走吧。」

點點聽到神殿的前方有音樂聲和人聲,甚至看到女士們**翩翩起舞**的身影 ,歡樂不已。點點很想加入一起跳舞,但北北卻把點點拉回來,引領點點由**神殿**後方的小徑拾級而上,迅步爬上殿神的祭台 。

祭台上果然放滿了魚乾，二貓看得雙眼閃閃發光！北北說：「趁人類在專心唱歌跳舞，不會看到我們，快點去拿魚乾！」

二貓一個箭步來到祭台中央，本來想拿了就走，但點點是第一次吃尼羅河的魚，味道和平時吃的不一樣，即使變成魚乾也十分**甘香美味**，一時間忘了形，拼命地吃。北北見狀，十分焦急，「喵」了一聲催促點點動作快點。誰知這一聲「喵」，給本來在全情投入舞蹈的人類聽到了。

23

其中一位女士發現祭台上的北北，發出驚奇而喜悅的叫聲：「北北大人，你回來了！」然後轉身跟在場所有人說 ：「芭絲蒂女神的兒子回來了！大家快來看看！」

其中一位女士發現祭台上的北北，發出驚喜的叫聲：「是芭絲蒂女神的兒子 ！」然後轉身跟在場所有人說：「大家快來看看！女神的兒子回來了！」

北北心想：「這次糟糕了！」他立刻抓住仍在吃魚乾的點點：「別吃！快逃！要是給他們包圍，我就再也去不成旅行找黃金罐罐了！」

二貓使勁地起跑，終於由神殿一條狹窄的巷子逃出，來到了沙漠。

點點又驚慌又疑惑，一邊跑一邊問北北：「你原來是芭絲蒂女神的兒子！那些人類看來很愛戴你呢，你為甚麼還要逃跑啊？」

北北覥腆地說:「因為…因為我也有我的煩惱,留在神殿內儘管受到人類供奉,衣食無憂,但卻不能解決我的煩惱,所以我一定要找到黃金罐罐!」

「你的煩惱是甚麼?」

此時人類快要追上來了,北北來不及回答:「跑快點!看到前方的獅身人面像和金字塔嗎?那就是法老王的陵墓。我們要全速跑過去!」

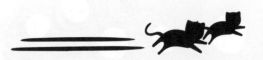

「我們要進入陵墓內嗎？我覺得好可怕啊！」點點非常害怕。

「金字塔是法老王去世後會變成木乃伊，等待復活的地方，是非常神聖的地方，我們不會進去打擾他。我們要去守護陵墓的獅身人面像那裡。使勁衝啊！」

木乃伊小知識

木乃伊是指用化學藥物保存完好的人或動物遺體。其實在澳洲、秘魯、和一些太平洋島嶼的古代居民也有製作木乃伊，但就以古埃及人為最著名的木乃伊製作者，他們製作木乃伊已有超過三千年歷史。古埃及人相信，死者需要有完整的身體才能順利進入來世，因此必須把身體好好保存，靈魂才能存活。製作木乃伊時，會用香料和防腐劑處理遺體，然後用亞麻布包裹起來。埃及人會在包裹上繪製宗教符號和先人的肖像。最後，他們將木乃伊放入雕刻和彩繪的木棺材中。通常，只有皇帝和貴族死後才會接受變成木乃伊的待遇。不過，埃及人也會將某些動物製成木乃伊，尤其是貓。

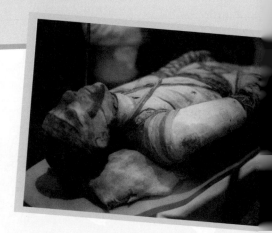

人類不像貓咪，可以在沙漠上不吃不喝多個小時，所以也沒再追上來了。

點點和北北終於擺脫人類的追蹤，來到獅身人面像前，並發現這個巨大的陵墓守護神的腳爪旁又出現了一個紙箱，與北北出現在點點家中的陽台時那個紙箱是相同的。

北北對點點說：「來，我們出發吧，說不定下個地點會有黃金罐罐的線索。」

點點雖然有點**筋疲力盡**，但他不想一隻貓流落在沙漠上，於是他跟隨北北，再次跳進紙箱中。

第三章

這次紙箱底部通往的
地方不是星際，而是
雲端。

二貓輕輕地降落在一片白雲上，軟綿綿的感覺讓點點忘了剛才狂奔的驚恐。

「好溫暖好舒服啊。」點點邊坦肚邊說：「好想睡覺。」

但點點無法睡覺，因為他發現前方出現了一片極**耀眼**的雲彩，而且有些東西快速地迎面飛來。點點揉揉眼睛，看清楚：「天哪！有人乘馬車正在衝過來呢！」

乘着馬車的男子見到二貓，車速減慢，甚至停下來了。此時，北北對男子說：「好久沒見了，**阿波羅** 。」

那男子回應：「哎喲，怎麼芭絲蒂的兒子到這兒來了，還帶來了**異世界**的朋友！」

點點好生奇怪：「異世界的朋友，是指我嗎？」

北北拍拍點點的肩膀說：「對神話世界的生命來說，現實世界才是異世界呢！這位就是希臘的太陽神阿波羅，他出現就代表要日出了，看馬車上的光彩，就是太陽。」

點點驚訝得 **目瞪口呆**，沒想過自己和太陽
的距離那麼近。

「難怪我感到無比溫暖呢！」點點幸福地說。

然後北北跟阿波羅說：「可以讓我們搭順風車嗎？我們要去找黃金罐罐。」

怎料阿波羅一口拒絕：「不行！快日出了，我沒時間陪你們玩尋寶遊戲！」說畢就絕塵而去。

「一點人情味也沒有！」北北不服氣地向阿波羅的背影扮鬼臉，並盤算如何是好。

此時，點點又看到一個人影由前方輕輕地飄過來。點點驚嘆：「他穿上長有**翅膀**的涼鞋，難怪他可以在空中自由地飛翔！」

那男子看到北北，說：「原來是芭絲蒂的兒子，甚麼風吹你過來了？還多了一位異世界的小朋友。」

北北大喜：「原來是赫密士（Hermes）！」

北北回頭向點點說悄悄話：「這位是奧林匹斯儲神的使者赫密士，他消息一定很靈通的！順帶一提，現代希臘郵政局的標誌，也是用他的頭像做徽號。」

北北對赫密士說：「你來得正好！你知道我在找黃金罐罐吧？可以告訴我哪裡可找到嗎？」

赫密士猶疑了一會，道：「告訴你我有甚麼好處？」

北北有點氣結：「你不是旅行者的保護神嗎？快告訴我！還有，別忘了你以前偷過你哥哥阿波羅的神牛，惹他發怒，最後是我給了你一個里拉琴，你再轉贈他當道歉禮物，才令他息怒啊。」

赫密士聽到自己童年的醜事再被提及，巴不得塞住北北的嘴巴。

「好了好了，我答應送你去奧林匹斯山，有位女神可能有你想要的東西。」

說畢，赫密士把二貓抱入懷中，全速飛往眾神的居所奧林匹斯山。

有白雪覆蓋的奧林匹斯山上，竟然有一個果園，赫密士把二貓放在一棵蘋果樹下，說：「這裡也有很多和黃金罐罐類似的東西。」說罷就飛走了。

點點和北北發現，這裡的蘋果樹與別不同，點點驚訝地說：「這裡的蘋果都是金黃色的！好漂亮！一定很美味呢！」

北北雖然看了也滿心歡喜，說：「黃金蘋果樹上可能真的有黃金罐罐！」但看到點點只想着吃，有點氣結，輕輕敲了他的頭一下：「傻瓜！蘋果的葉子、莖和種子對貓咪是毒藥啊！」

「那我吃果肉就行了。」點點已經準備爬到樹上去採蘋果。

此時，一名女子突然在樹上出現，擋着點點，並說：「你們來偷黃金蘋果嗎？」

點點和北北非常驚慌，但北北認得出眼前這名女子，她就是總會引起**紛爭**的女神艾莉絲！北北心想：「可惡，赫密士竟帶我們來**瘟神**這裡！」

點點十分害怕，逃到北北身邊。此時，女神艾莉絲說：「別怕，想要的話我給你一個，只有天下間最可愛的貓咪才能吃。」

點點非常開心：「我是天下間最可愛的貓咪嗎？」

「當然囉！」艾莉絲嘴角露出一絲**不懷好意**的笑容。

北北這時又拍打為黃金蘋果着迷的點點的頭，說：「難道你沒聽過黃金蘋果引起眾神的紛爭嗎？我曾聽媽媽說，因為艾莉絲沒被邀請到一個有神明參加的婚宴，深感不滿，於是在宴會上留下一個黃金蘋果，要獻給最美麗的女神，結果令智慧女神雅典娜、愛神阿佛羅狄蒂和眾神之后希拉三位女神吵架了！後來還引起人間的戰爭呢！」

點點本來就不喜歡吵架，聽畢便說：「點點很喜歡北北，也不想和北北吵架，我還是不要黃金蘋果了。」

艾莉絲見引誘點點不成功，覺得自討沒趣，便不懷好意地說：「雖然你們不要黃金蘋果，但你們想要黃金罐罐吧？我知道它在哪裡。」

二貓有點狐疑，但仍問：「在哪啊？」

艾莉絲笑着說：「**潘朵拉的盒子**，說不定仍藏有黃金罐罐呢。她是人類，你們到山腳下找她好了。」

正當二貓徒步下山時，碰到剛剛在路旁歇息的天馬佩加索斯（Pegasus）。

點點第一次看到長有翅膀的馬兒，羨慕不已，說：「好厲害啊，怎麼希臘的生物都會飛的？」

佩加索斯聽到點點的驚嘆，不由得**自豪**起來：「不是所有奧林匹斯的生物也會飛的，就算會飛也不像我那麼快。你們要去哪？反正我閒着無聊，就送你們一程吧。」

「嘩，太好了！」二貓興奮地叫了起來。北北更說：「原來希臘也有不會斤斤計較的神明！」於是說着，二貓跳上佩加索斯的背部，然後飛往奧林匹斯的山腳。

由於佩加索斯經常在山上山腳下穿梭，所以很快就打聽到潘朵拉的住處。佩加索斯飛到山腳一戶人家，把二貓放下，就飛回山上了。

二貓看見屋子的窗戶是打開的，一躍便跳到屋子中，並看到一位**愁眉苦臉**的女子，對着桌子上一個緊閉的盒子嘆氣。

點點輕輕地上前問：「請問你是潘朵拉嗎？」

女子聽到點點的聲音，回過頭來說：「我就是潘朵拉，你們是誰啊？」

北北說：「我們聽說你有一個盒子，裡面可能有我們想要的東西，可以打開給我們看看嗎？」

潘朵拉卻哀傷地說：「不行啊，我就是因為太過好奇，曾經打開了盒子，結果釋放了人世間的所有災禍出來，包括貪婪、虛偽、誹謗、嫉妒、痛苦、戰爭，令到天下大亂。現在盒子裡只剩下希望，沒有別的東西了。我不能再打開盒子，否則希望就會消失。」

點點有點不明白，說：「既然災禍被釋放出盒子會帶給人類災禍，那不是更加要打開盒子釋放希望，才令人類有希望嗎？」

北北和潘朵拉恍然大悟，北北對點點刮目相看，又拍了拍點點的頭，說：「想不到你那麼聰明啊！」然後對潘朵拉說：「來，打開來看看，說不定這樣做才是對的！」但他心裡其實只想看看盒子裡還有沒有藏着黃金罐罐。

潘朵拉的好奇心跟貓咪一樣強烈，忍不住再次打開盒子。這時，希望就像一個可愛的精靈，由盒子中飛出來，並親了點點的額一下，說：「謝謝你，我要去為人間帶來希望。」點點開心不已。

北北趁此時撲入箱子裡找，但他非常**失望**：
「根本甚麼都沒有！」

希望看到沮喪的北北說：「不要氣餒，你要找
的東西，雅典最有智慧的人會幫到你。你們
跟我去雅典吧。」

說吧，希望化成一道光茫，引領二貓前往希
臘最大的城邦——雅典。

🐾 第四章 🐾

二貓到達雅典一個熙來攘往的市集，在人潮中穿梭，最後來到神殿前的廣場。有人正在演講，吸引不少觀眾。

點點問：「正在說話的人是誰啊？」

北北悄悄地說：「希望果然說得沒錯，我們走運了，這個人對後世無論在科學、哲學、文學、政治和心理學，也有深遠的貢獻，是世間難得一見的天才，他應該會幫我們的。他叫亞里士多德，與他的老師柏拉圖，還有柏拉圖的老師蘇格拉底，並稱希臘三賢。」

點點完全不懂北北在說甚麼:「那他們有甚麼了不起呢?」

「你連他們也沒聽過?那由這刻開始你給我好好記住啊!蘇格拉底對人類最大的貢獻之一,就是他認為要獲得智慧和真理,不光是聆聽,而是要不斷發問和反省自己的想法。」

點點似懂非懂:「是否就像我這樣,常常問為甚麼?」

「也算是吧!好奇心是獲得智慧的第一步,雖然潘朵拉的好奇心卻引發了災難,但還好,我們三個的好奇心加起來,卻為人類帶來希望!」北北沾沾自喜地說。

點點聽到後非常開心，雖然他不知道「智慧」是用來幹甚麼的，但得到「智慧」好像是不錯的東西，於是他繼續問：「那柏拉圖？他又是甚麼？」

「柏拉圖就是廣場上那個演說家的老師。柏拉圖跟蘇格拉底一樣，認為我們知道的有限，所以要時常對事物保持**質疑**、**探索**和**學習**，才能累積知識。他也告訴後世的人，一些新穎的想法起初看起來可能很奇怪，但這並不表示它是錯誤的。我們應該對新事物保持開放態度，這樣才能找到真理。」

點點不斷點頭：「我也覺得北北是有點新奇古怪的貓咪，但我不認為你是壞蛋！」

「哈哈，很好，你果然有一點點智慧，有智慧的人才懂得快樂的真諦。」北北大笑。

「那廣場上的人呢？」

「他是亞里士多德，他提出要得到幸福，是需要行動的，而不光是想想和說說。在追求幸福的過程中，朋友好重要！因為好的朋友可以互相幫助培育美德。另外，亞里士多德也認為，就算有行動也要有分寸。舉個例子，勇敢是一種美德，但做多了就變成魯莽，缺乏又變成怯懦。能夠面對不同處境而作出適當的行動，就是智慧！」

點點問：「怎麼希臘人都那麼熱愛追求智慧的？」

北北 ：「因為那是好東西啊！」

點點很興奮：「既然亞里士多德想到獲得智慧的辦法，他那麼有學問，那一定可以幫我們找罐罐！」

「等他演說完畢，我們就去問他。」

點點看到亞里士多德喋喋不休地說話，沒完沒了，觀眾又加入辯論，而且愈辯愈激烈，感到不明所以：「為甚麼希臘人那麼愛七嘴八舌？」

北北輕輕敲了點點的頭，說：「傻瓜！那也是累積智慧的方法啊！古代希臘人喜歡在市集的廣場上交流彼此的觀點，無論你有甚麼想法，也可以在這裡發表，觀眾亦可以參加討論和辯論。每個人也可以思考種種可能性，每個人的聲音也受尊重。很多偉大的思想，也是透過這樣的討論誕生的。」

終於等到人群漸散去，亞里士多德有空了。點點和北北飛快向前跑到哲學家的腳邊。

北北急不及待地問：「您好！我聽說您是希臘最有智慧的人之一，可以告訴我如何才能找到黃金罐罐嗎？」

可是，亞里士多德並沒有把答案直接告訴北北，而是反問：「孩子，你知道那東西到底是甚麼嗎？」

北北支吾其詞：「那個…那個罐罐，可以解決我的煩惱！」

亞里士多德微笑，摸摸北北和點點的頭，說：「孩子，你要找的東西不在我這裡，但我可以告訴你們，往地中海的另一邊走，或許會找到答案。要記住，你們兩個一路上要互相扶持，成為彼此忠誠的伙伴，才能找到幸福啊。幸福，取決於我們自己。」

二貓似懂非懂的，正疑惑地中海的另一端到底是指哪裡。

這時，北北腦海閃過一個念頭，不禁全身顫抖：「難道，難道他是要我們去**羅馬**嗎？地中海最大的古文明，除了我的故鄉埃及，就是希臘和羅馬了。但是，羅馬人好可怕，喜歡在**鬥獸場**內看劍鬥士比武，有時更是人類和動物比武，十分血腥殘忍的！我才不要去那個地方！會被宰的！」

點點聽畢也害怕得發抖。「那怎麼辦？我們可以避開鬥獸場嗎？羅馬有沒有像亞里士多德那樣的智者可以幫助我們？」

這時，廣場上有許多鴿子飛過。貓貓是雀鳥的天敵，二貓看到那麼多鴿子，剛才的恐懼一掃而空，變得興奮無比，並立刻化身成為捕手，情不自禁地向鴿子飛撲。

但廣場上的人們立刻出手阻止二貓，並說：「不行！這些是**奧林匹克運動會**的鴿子，牠們是前來通報誰在比賽中獲勝。你們別傷害鴿子！」

奧林匹克運動會小知識

現在的奧林匹克運動會，其實源於在古代希臘奧林匹亞舉行的運動會，被認為始於公元前776年，是首次記錄獲勝者名字的年份。奧運會最初是宗教節日的一部分，為了紀念神祇宙斯而舉行。由於非常受歡迎，因而每四年就舉行一次，比賽開始前如有國家正在交戰，也必須休戰，以便運動員和觀眾能安全前往奧林匹亞。起初，唯一的奧運會項目是約210碼（192米）的賽跑。到公元前708年，增加了更多的賽跑項目以及摔跤和五項全能比賽，包括跑步、摔跤、跳遠、擲鐵餅和標槍。後來拳擊、戰車賽也被納入比賽。奧運會的勝利者被戴上野橄欖枝編織的花冠，這也是古代奧運會的唯一獎品，但運動員回到家鄉會受到廣泛的讚譽和奢華待遇。古代奧運會只有男性可以參賽，但在奧林匹亞，則有每四年舉行一次的希拉節，有一場專為年輕女性舉行的賽跑。

二貓被人群包圍，非常害怕，於是拔腿而逃，並朝山上供奉雅典守護神——**雅典娜女神**的巴特農神殿狂奔。可是，憤怒的人類仍在後面追趕過來。

「我們**闖禍**了，怎麼辦？」點點一邊跑一邊哭。

「看，紙箱在雅典娜女神像前面，趕快跳進去！」

二貓落荒而逃，甚是**狼狽**。

這次紙箱的底部並沒有打開，而是一整個箱子往神殿的石板下沉，並跌落一條河道上。

雅典娜與巴特農神殿小知識

雅典娜是古希臘的智慧女郎和戰神，同時也是工藝之神，她是統治奧林匹斯山的十二主神之一，也是希臘都城雅典的守護神。在雅典衛城山丘上的巴特農神殿，就是供奉雅典娜的神殿。關於雅典娜的神話非常豐富，除了黃金蘋果的紛爭外，她與海皇波塞頓比賽成為雅典守護神也是家喻戶曉的故事。

雅典娜女神此時現身在二貓面前，說：「你們太頑皮了，竟敢欺負奧林匹克的鴿子！幸好我及時把你們送離開雅典，否則你們會沒命！不過你們也要受些小懲罰，好好反省！」

說畢，女神就消失了。

第五章

貓貓最怕就是水，現在紙箱在水上**飄流**，箱內的二貓快嚇破膽了。

「這次死定了！我們會浸死的！」點點在紙箱內哭得滾來滾去。

「你別亂動好不好！這樣紙箱要沉沒了！」北北很生氣，但內心也很驚慌。

北北往紙箱外看，發現他們正在飄流的地方並不是一條河流，而是一條用岩石搭建的高架橋，橋頂有清水流過，下方則是一個又一個的拱門。

「天哪！這是羅馬人建的輸水道！雅典娜把我們送到羅馬來了！」北北由悲轉喜。

點點立時心情也好起來：「真的嗎？她沒送我們去鬥獸場懲罰我們呢！太好了！」

「但我們得想辦法離開水道，否則就要變落湯貓了！」

羅馬輸水道小知識

羅馬輸水道是把湖泊或泉水等淡水水源引到人口稠密地區的渠道。雖然早期的埃及和印度文明也有建造水道的痕跡，但羅馬人改進這種結構，並在其領土上建造了廣泛又精密的網絡。現代的法國、西班牙、希臘、北非和土耳其仍留有這些水道遺跡。羅馬輸水道由一系列管道、隧道、運河和橋樑組成，利用重力和地形的自然坡度，水道可以將水源引到城市，給城市人口飲用、灌溉以及供應給公共噴泉和浴場。羅馬水道系統的建造歷時約500年，從公元前312年到公元226年左右。僅羅馬首都就有約11個水道系統，從最遠92公里外的水源運輸淡水到城中。儘管年代久遠，一些水道仍在運行，並為現代羅馬提供水源。由阿格里帕於公元前19年在奧古斯都統治期間建造的Aqua Virgo，至今仍為羅馬市中心著名的特雷維噴泉供水。

「這條輸水管會流向甚麼地方呢?」點點問。

「雖然埃及和印度早就有輸水管,但真正把輸水管發揚光大的,卻是羅馬人。我聽說羅馬人很喜歡洗澡,這條輸水道大概是通向**公共浴場**的,就是羅馬人一起洗澡的地方。」

「一起洗澡?!」點點很驚訝,在他居住的城市,人們並沒有一起洗澡的習慣。而且,洗澡對貓貓來說,就像「酷刑」一般,難受死了。

「我不要去浴場！我們想辦法離開這裡！」點點嚷着說。

「你別吵！來，我們先跳上前面的橋墩，把紙箱晾乾再說。」北北勸點點冷靜，然後二貓先後跳上橋墩，再合力把紙箱拉上來曬乾。

在輸水道的橋墩上，點點看到讓他大開眼界的風光。

「原來你說的是真的！！下方好多人在玩水啊！」點點看到輸水道的流水拐了一個彎後，流入公共浴場的其中一個池，而浴場內有大小不一的水池，有些有蒸氣，熱騰騰的，有些是室溫水，但在陽光下感覺上很暖和，而且無論在哪個浴池，大家也是赤身露體，有說有笑的。

點點一點也不喜歡玩水，平時被人類洗手時的水珠彈到，也會感到毛骨悚然。於是他跟北北說：「紙箱曬乾了我們立刻離開這裡吧。」

北北搖搖頭，說：「不行啊！雖然我也很討厭這個濕漉漉的地方，但浴場是羅馬人社交的場所，不論是奴隸、有錢人還是貴族也會來一邊洗澡一邊聊天，可以收集到很多情報啊！說不定會打聽到黃金罐罐的線索。雅典娜雖然可惡，明知我們怕水，卻這樣戲弄我們，但她畢竟是智慧女神，引導我們來這裡找情報，所以我們不能走！」

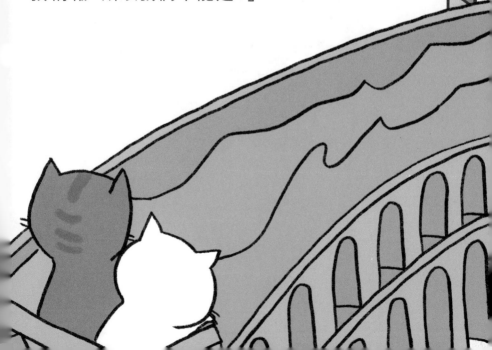

說畢，北北沿着輸水道兩旁的石塊走下坡，來到一個美輪美奐的大浴池上方。浴池旁邊樹立了兩尊美麗的**裸體雕塑**，仿佛是讓來泡澡的人欣賞人體之美。

北北對點點說：「來，我們先跳去雕像的肩膀，在那裡偷聽一下人類的情報，這樣就不會被浴池的水弄濕。」

點點不願獨自待在橋墩上，硬着頭皮跟北北跳向浴場的人體雕像上。

但浴場的濕氣，仍然令二貓渾身不自在。

貓咪的耳朵很靈敏，聽力是人類的三倍。所以當二貓伏在雕像的肩膀和頭頂時，仍可以清楚聽到下方的聲音。

這時，北北注意到大浴池中有兩名男子一邊泡澡，一邊喝葡萄酒，神情雖然很輕鬆，但談話的內容卻很嚴肅，而且他們還說出了一堆數字。

北北緊緊盯着那兩人，心裡在盤算甚麼似的。點點看到北北那麼緊張的神情，擔心地問：「那兩個人類有甚麼不對勁嗎？」

北北猛然想起來了：「好像在哪裡見過他們呢。噢！我想起來了，左邊的是居住在埃及的希臘人索西琴尼（Sosigenes），是有名的天文學家；右邊那位肯定是凱撒，他是羅馬的統治者，還曾在埃及待過一段時間，我見過他！難怪他的臉很熟呢！」

凱撒大帝小知識

凱撒約在公元前100年出生於意大利。他長大後成為一位傑出的軍事領袖、政治家和作家。當凱撒16歲時，他成為家族的領袖，後來他加入軍隊，並逐步爬升為執政官，是羅馬的最高職位之一。他與兩位有權勢的人龐培和克拉蘇結成聯盟，稱為「前三頭同盟」。凱撒也是高盧（現代法國和比利時）的總督，他領導了一系列軍事行動，擴展了羅馬領土，甚至入侵了不列顛。回到羅馬後，凱撒和龐培之間的緊張局勢升級。當由龐培領導的元老院命令凱撒解散他的軍隊時，凱撒拒絕了，並引發內戰，最後凱撒勝利，成為羅馬的獨裁者。凱撒在位期間有很多革新，包括改革我們今天使用的日曆。然而，亦有些人對他的權力不滿。公元前44年3月15日，他被一群元老暗殺了。由於凱撒的成就過人，後來的羅馬統治者均稱自己為「凱撒」，這個稱號啟發了德國皇帝稱為「凱撒」（Kaiser）和俄羅斯的「沙皇」（Tsar）。

「那他們在比手劃腳的討論甚麼呢?」
點點問。

「乾脆偷聽一下吧。」

此時,凱撒吩咐隨從替他添酒,並對索西琴尼說:「我在埃及見識過你們的曆法,比我們羅馬曆法準確多了,我希望你可以幫助羅馬改革曆法。」

索西琴尼用手指比一比，說：「凱撒大人，根據**地球圍繞太陽運行**的速度，一年應該有365.25日，所以一年應設12個月，大小月份交替，比如單數月份有31日，雙數月有30日，二月則只有29日；每四年設置一閏年，建議在二月份加多一日，那平年就有365日，閏年就有366日了，應該比現在以月亮圓缺的計算方式準確。」

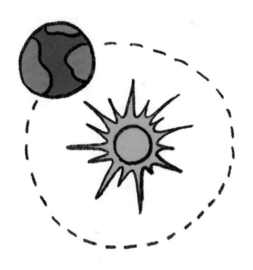

凱撒非常滿意，與索西琴尼乾杯：「很好，那我會下令由明年1月1日起，採用這個新曆法，並以我的本名儒略，將之稱為儒略曆！哈哈哈！」

點點對數字一點也不理解，說：「我完全聽不懂呢！」

北北很神氣地解釋：「剛剛我們見證了一個歷史時刻啊！凱撒推動的新曆法儒略曆，可說是**現代曆法**的先驅，由公元前45年開始使用，在西方世界用了1600多年呢！至1582年才被更準確的公曆取代，我們現在大部份人用的都是公曆。順帶一提，公曆是一年有365.2425天，二月只有28日，閏年才有29日。」

「原來我們來到了公元前的時代！！」點點很震驚，雖然他並沒有概念這是多麼遙遠的時代，但聽起來仍是很厲害。但是，點點仍有疑問：「那這個曆法可以幫助我們找黃金罐罐嗎？」

點點一言驚醒夢中貓，北北立時莫明興奮：「對了！說不定罐罐要在特定的月份和時間才會出現！想不到你那麼聰明，竟想到這點！」

點點被北北誇讚，心裡有點飄飄然。

此時，凱撒已泡澡泡得滿身通紅，於是離開浴池，池邊的侍從為他擦背。凱撒對索西琴尼說：「我還要準備帶兵攻打逃亡至北非的龐培餘黨，到時就不能泡澡了，這段時間要好好享受羅馬的優良傳統，泡澡令人脫胎換骨！哈哈哈！」

二貓聽畢，一臉**難以置信**的模樣，泡澡對貓貓來說簡直是天下間最恐怖的事情，羅馬人的傳統實在太可怕了。這時，浴場的水蒸氣已令大理石雕像的表面開始濕滑，伏在雕塑上的二貓感到難受極了，而且開始失去平衡。點點再也支持不住，本想跳回橋墩，但卻不小心滑倒，跌向浴池！

「喵！救命呀！！」點點大叫。

反應敏捷的北北，立刻一手捉着正在往下跌的點點尾巴，另一手用利爪抓住大理石像。可惜，石像表面太滑也太硬了，怎也抓不住。北北在石像的身軀上留下了幾道爪痕，和點點一同往浴池掉下去。

噗通！

「喵！哇！救命呀！！」點點和北北在水中大叫。

仍在水中泡澡的索西琴尼發現二貓掉進浴池，也嚇了一跳。正在享受按摩的凱撒也因吵嚷聲而回過頭來。

索西琴尼抱起溺水的二貓，把他們放到浴池邊。二貓趕忙搖擺身軀，甩掉身上的水份，但水珠彈到了凱撒的身上。

凱撒的侍從立刻大罵：「你們真大膽！對羅馬的統治者那麼無禮！」

點點超級害怕，北北也 驚魂未定，溺水的感覺太可怖了。但此時，來自埃及的索西琴尼認出了北北，有點驚訝：「天哪，你是芭絲蒂女神的兒子嗎？你怎麼來到羅馬的浴場了？」他轉而向凱撒說：「大人，這位是埃及神明芭絲蒂的兒子，埃及一直流傳着女神的兒子到處旅行的傳說已有幾百年了，想不到他會在羅馬出現。」

點點聽到後，輕聲對北北說：「你怎麼找黃金罐罐找了幾百年仍未找到？」

北北敲打點點的頭：「笨蛋！你少囉嗦！」

凱撒問索西琴尼：「你怎能肯定這小傢伙是神明？」

索西琴尼：「因為傳說中芭絲蒂的兒子是短尾的茶色花貓。」北北聽到「短尾」二字，很不高興，他一直因為自己的尾巴比一般貓短小而不是味兒。

「那旁邊這隻白貓是誰？」

點點這時「自豪」地搶答說：「我是來自異世界的點點！太陽神阿波羅是這樣說的。」

凱撒與索西琴尼**面面相覷**，但凱撒見到「神明」，沒有感到害怕和敬畏，但也沒有輕蔑的眼光，而是好奇地打量了二貓一番。

「笨手笨腳的，你們仍是見習神仙吧？看，你們弄壞了大理石像了！要怎樣賠償呢？」凱撒看着北北，並用手指指向滿身爪痕的大理石像。

北北發現又闖禍了，於是用笑容掩飾內心的恐懼，畢竟在他面前的凱撒，很有威嚴，而且身型健碩，說不害怕是騙人的。北北也開始炸毛，壯起膽子，狡辯道：「俗語說疤痕是戰士的榮耀，你是武將應該很明白才對。我的爪子為這尊雕像添上了光榮的勳章！嘿嘿嘿！」

凱撒看穿北北故作鎮定的模樣，又看到旁邊的點點有樣學樣，跟北北一起炸毛，但眼神卻充滿惶恐，便狡猾地說：「啊，你說得對。那你們要不要跟我一起出征去，當我在戰場上的守護神？到時說不定你也會拿到勳章，而且更多！」

北北開始**討價還價**：「我知道你快要推行新的曆法，要是你告訴我何年何月何日黃金罐罐會出現，我就和你一起上戰場，當你的守護神！」

但北北畢竟仍是見習神仙，對於要當守護神這點，他心裡其實有點虛，現在他仍要靠一個神秘紙箱才能在不同的時間和空間穿梭，沒有了紙箱，莫說保護別人，連自己也保護不了。

凱撒也有點不明所以，連忙向索西琴尼耳語：「黃金罐罐是甚麼東西？」

索西琴尼輕聲回覆凱撒：「這樣這樣，就是這樣。」

「哈！哈！哈！原來如此。」凱撒大笑，然後他對二貓說：「好，我就告訴你，你要找的寶物，只有在我的曆法生效後才會出現呢。好了，乖乖當我的守護神吧。」

「甚麼？！還要等一年？！且慢！你沒告訴我新曆法生效後哪一天罐罐會出現呢！獨裁官果然很奸狡！」北北不相信凱撒。

點點也拼命搖頭，說：「我不要上戰場，點點不愛打架！點點不要為了罐罐而傷害別人！我們要離開這裡！」

凱撒見狀，說：「要找寶物光靠好奇心和運氣是不夠的，還要有勇氣才能成功。戰場就是累積**勇氣**的地方！」

「點點，我們不要理會這個傻瓜，我們走吧。」北北覺得很沒趣，拉住點點準備離開。

此時，凱撒的隨從大罵：「可惡！你們對大人如此無禮，羅馬士兵是不會讓你們離開的，他們都在外面守着，還是乖乖聽從大人的命令吧。」

北北覺得這名隨從很討厭，於是輕聲問點點：「你準備好了嗎？」

「嗯！」點點立刻回應。

二貓二話不說，一躍踩在隨從的頭上當踏腳石，跳到浴池建築的橫樑往外逃走。

「來人，快追那兩隻貓！重重有賞！」隨從高呼。

在屋樑上二貓看到浴池建築外面的街道上有數十名羅馬士兵，看來是凱撒的護衛。士兵們聽到要追捕貓貓的命令，馬上就找出二貓，並爬上屋頂捉拿他們。

索西琴尼此時向凱撒求情：「大人，請饒了他們吧，他們還是小孩子呢。」

凱撒只是微笑道：「尋寶路上還是要受點考驗才能成長呢。」然後繼續泡澡。

二貓在屋頂狂奔逃避追兵之際，上空突然刮起一陣怪風，還吹來了本來在橋墩上但已曬乾的紙箱。

點點說：「我們快跳上去！」

這次二貓分毫不差，順利跳入紙箱中，而紙箱輕輕在浴池上轉了個圈，便飛走了。

點點雖然很疲倦而且很驚恐，但他知道紙箱是安全的地方，他終於忍不住，要把心裡的疑問說出來：「北北，為甚麼你一定要找黃金罐罐呢？它除了好吃外，還有甚麼好處嗎？」

北北頓時臉紅起來，但面對眼前這位善良的伙伴，北北說出真相：「你也看到了吧，我的尾巴比你的短，應該說是比一般貓咪都短，我知道很多人在背後取笑我。我聽說黃金罐罐是可以**實現任何願望**之罐，所以我想得到它，把我的尾巴變長，那就不會再有人笑我了。」

「但點點覺得你的尾巴很可愛呢！」

「就只有你一個覺得它可愛是不夠的，我不想再被人取笑。那你呢？如果找到罐罐，你想實現甚麼願望？」

「點點還沒仔細想呢，不過我希望我喜歡的人和伙伴都能幸福快樂。」點點微笑，但又開始憂心：「但你究竟有沒有頭緒黃金罐罐在哪裡？」

此時北北又神氣起來了：「當然有了！凱撒的曆法確是給了我一些時間提示。我們之前找罐罐的方式都停留在有人類文明的時間點，由我家鄉古埃及文明開始，往後去到古希臘和古羅馬。但我們還未去過未有人類之前的世界呢！既然在有人類文明的地方找不到，或許它在人類出現時就消失了。」

「所以我們要去人類還未出現之前的世界嗎？」點點完全想像不到那是一個怎樣的世界，但卻非常好奇北北會帶他去哪裡探險。

「沒錯，你真聰明！我們要去恐龍的世界！」北北興奮地說。

說罷，紙箱全速飛行，引領二貓飛往恐龍的家鄉。

（未完待續）

點點貓大冒險之穿越古文明

作　　者	北北鄒
插　　圖	米米
草　　圖	冰冰
策　　劃	風鈴豬
責任編輯	LC
出　　版	點點文化有限公司
電　　郵	hello@dotdotculture.com
臉　　書	www.facebook.com/dotdotculture/
發　　行	泛華發行代理有限公司
初版一刷	2024年7月
定　　價	港幣HK$68 台幣NT$340
國際書號	978-988-76852-3-4

特別鳴謝劉保禧博士

圖片來源：

P. 17 尼羅河
由 Marc Ryckaert - 自己的作品, CC BY-SA 4.0
https://commons.wikimedia.org/w/index.php?curid=88638252

P. 28 木乃伊
mummy_at_british_museum - CC BY-SA 3.0,
https://commons.wikimedia.org/w/index.php?curid=15047

P. 63 古代奧運場地 The Ancient Olympic Games stadium in Olympia, Greece
By The original uploader was Drno at German Wikipedia. -
Transferred from de.wikipedia to Commons., CC BY-SA 3.0,
https://commons.wikimedia.org/w/index.php?curid=1774320

P. 65 巴特農神殿
Athens city greece Parthenon in Acropolis landmark architecture
By Freepic stock photo

P.71 羅馬輸水道
由 Benh LIEU SONG (Flickr) - Pont du Gard, CC BY-SA 3.0,
https://commons.wikimedia.org/w/index.php?curid=33474941